Para comer con las manos

DIRECTORA DE COLECCIÓN: TRINI VERGARA

CHEF: PÍA FENDRIK

FOTOGRAFÍA: ÁNGELA COPELLO

V&R
EDITORAS

PERMITIDO COMER CON LAS MANOS

En Occidente nos enseñan desde pequeños a utilizar los cubiertos, a lavarnos las manos antes de sentarnos a la mesa y, especialmente, a *no usar las manos para comer*. Sin embargo, existen teorías de estimulación temprana de bebés que alientan a los padres y madres a permitir que sus pequeñitos coman libremente con las manos para que aprendan a distinguir y reconocer texturas y puedan alimentarse solos sin dificultad, pese a no haber desarrollado todavía la habilidad necesaria para manejar la cuchara. Pero, salvo excepciones, los niños no llegan a la edad escolar sin haber aprendido a usar los cubiertos.

Así, comer con las manos se convierte, para los occidentales, en una exótica costumbre de algunos países de Asia y África, en algo ajeno que puede resultar una experiencia divertida —o tal vez perturbadora—, pero nunca natural. Lo más lejos que hemos llegado de este lado del mundo en la incorporación de "otra forma de comer" es el uso de "palillos chinos", tradicionales del Asia del Pacífico. De hecho, este utensilio ya forma parte de las costumbres urbanas de Occidente: es común ver a personas comiendo sushi o comida china con palillos en restaurantes de ciudad de México, Nueva York, Buenos Aires o París, y usándolos con naturalidad y destreza.

En este libro invitamos deliberadamente a comer con las manos. Creemos que se trata de una experiencia placentera, que nos libera de platos, cubiertos, mesas formales y demás cuestiones de etiqueta. Comer con las manos es compartir una comida en una reunión de amigos, en un cóctel para despedir el año, en un cumpleaños con muchos invitados, en la inauguración o celebración de un proyecto personal…

Este libro fue pensado para ocasiones como esas. Reúne recetas fáciles, exquisitas y variadas para ofrecer comidas caseras, más originales y económicas que las encargadas a un servicio profesional.

Hemos calculado las cantidades para una reunión de 6 a 10 personas, según la receta. Por supuesto, éstas pueden multiplicarse a fin de que rindan para más comensales o, mejor aún, podemos preparar varias recetas para ofrecer alternativas de gustos, temperaturas y texturas.

Dividimos el libro en picadas, "appetizers" y tapas, a modo de entradas –que juntas pueden dar forma a un cóctel multiétnico, por el origen diverso de las recetas–; platos más sustanciosos y rendidores –ideales para situaciones informales en las que no pueden faltar propuestas ya universales: como las empanadas, las pizzas o los tacos– y una variedad de delicias dulces para comer de uno o dos bocados. Incluimos además, las recetas "de base" de las masas que permitirán realizar variantes personales.

TIPS PARA SERVIR SIN CUBIERTOS

▌ Preparar todo lo que podamos tener listo por anticipado ya que siempre nos faltará tiempo al final.

▌ Reunir todas las bandejas o platos para servir que vamos a necesitar. Si no tenemos suficientes, podemos usar platos grandes cubiertos con una servilleta o mantelito blanco.

▌ Calcular no menos de 6 servilletas de papel por comensal.

▌ Disponer un mínimo de 3 vasos o copas por persona (tanto si son descartables, como si son de vidrio) para poder reponerlos fácil y rápidamente durante la reunión.

▌ Prever $^1/_2$ litro de bebidas sin alcohol y otro $^1/_2$ litro del conjunto de bebidas alcohólicas suaves (vino, champagne, cerveza) por persona. (Desde luego, estas cantidades son solamente orientativas, ya que cada uno conoce a su concurrencia mejor que nadie.)

Picadas, appetizers y tapas

Tempura de pescados y vegetales

INGREDIENTES

300 g / 10 $^1/_2$ oz de salmón rosado

300 g / 10 $^1/_2$ oz de tubos
de calamar

24 langostinos crudos

1 cebolla morada

$^1/_2$ zanahoria

1 zucchini/calabacín largo

$^1/_2$ pimiento morrón rojo

2 tazas de aceite de maíz
o girasol para freír

Para el batido:

250 g / 9 oz de harina

1 cdita. de sal

1 clara

1 taza de agua helada

Para la salsa:

1 cdita. de wasabi en polvo

1 taza de salsa de soya

1 cebolla de cambray/de verdeo
(sólo el tallo de hojas verdes),
bien picada

1 cdita. de jengibre/kion fresco,
rallado

1 cdita. de pasta de ají/chile
picante

1 cda. de azúcar

Rinde para 12 bocados

*Un clásico de la cocina japonesa, que ya es un favorito universal.
Para preparar a último momento.*

PREPARACIÓN

Limpiar, secar y cortar el salmón en lonjas finas. Lavar los tubos
de calamar, extraerles la piel y el cartílago interior y cortarlos en aros.
Lavar los langostinos, pelarlos, quitarles la cola y el filamento negro
que recorre su lomo. Pelar la cebolla y la zanahoria y lavar el zucchini
y el pimiento morrón (retirándole las semillas y las nervaduras
interiores). Cortar la cebolla en aros; la zanahoria y el zucchini en finas
láminas y el pimiento en rombos. Los trozos deben tener un tamaño
adecuado para comerlos de un bocado *(ver foto).*

El batido: mezclar la harina con la sal, la clara y el agua y batir hasta
obtener una preparación homogénea, aunque con algunos grumos.
Calentar el aceite en una sartén o wok. Pasar todos los ingredientes
por el batido y freírlos entre 2 y 3 minutos, sin que se doren. Retirarlos
y escurrirlos sobre un papel absorbente.

La salsa: hidratar el wasabi en la salsa de soya. Agregar el resto de los
ingredientes y mezclar bien. Servir con el tempura.

Envueltos de zucchini

INGREDIENTES

2 zucchinis/calabacines largos grandes o 4 medianos
(600 g / 21 oz en total)

2 cdas. de aceite de oliva

Para el relleno:

1 cdita. de wasabi en polvo

1 cda. de agua

100 g / 3 ½ oz de queso crema o queso blanco

200 g / 7 oz de jamón cocido/ de york, picado

50 g / 1 ½ oz de queso parmesano, rallado

1 cda. de estragón fresco picado o ½ cda. de estragón seco

sal y pimienta

Rinde para 20 bocaditos

Un aperitivo de bajas calorías y delicioso. Ideal para servir frío en verano.

PREPARACIÓN

Cortar los zucchinis en finas láminas (los zucchinis grandes rinden para 10 láminas cada uno, los medianos para 6) *(foto 1)*. Sazonar con sal y untar ligeramente con aceite de oliva. Luego, calentar una sartén y cocinar las láminas dándolas vuelta para que se doren de ambos lados *(foto 2)*. Enfriar y reservar.

El relleno: en un recipiente hondo, mezclar el wasabi —previamente diluido en una cucharada de agua— con el queso crema o blanco. Agregar el jamón, el queso parmesano y el estragón picado. Condimentar con sal y pimienta.

Armado: colocar una cucharadita de relleno en un extremo de cada lámina de zucchini *(foto 3)* y enrollar suavemente *(foto 4)*. Antes de servir, rociar con unas gotas de aceite de oliva.

Variante de relleno: reemplazar el jamón por kanikama/palitos de cangrejo.
Variante de envoltorio: sustituir los zucchinis por berenjenas y rellenar con la misma preparación pero suplantando el jamón por tomates/ jitomates secos hidratados y picados; y el estragón por orégano.

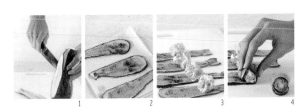

1   2   3   4

Montados de atún y cebollas caramelizadas

INGREDIENTES

1 pan de molde artesanal*

1 taza de aceite de oliva

1 pimiento morrón rojo, grande

1 cebolla

2 cdas. de mantequilla/manteca

1 cdita. de azúcar

150 g / 5 oz de atún en lata escurrido**

pimienta negra molida

Para la presentación:

hojas de perejil

Rinde para 12 porciones

* Se puede usar un pan de campo o una baguette cortada al bies/de manera diagonal.

** El atún puede reemplazarse por otro pescado o marisco en conserva, como sardinas, pulpos o mejillones.

Inspirado en las tapas españolas, este montado tiene un toque original que lo convierte en una delicia: un colchón de cebollas caramelizadas.

PREPARACIÓN

Cortar el pan en rodajas, rociarlas con aceite de oliva y hornear a temperatura moderada (180ºC) hasta que estén doradas. Reservar. Asar el pimiento morrón sobre el fuego de la cocina* hasta que esté bien negro. Dejar enfriar cubierto con papel plástico transparente y luego retirar la piel y las semillas. Cortar el pimiento en tiras del largo de las rodajas de pan y 1 cm de ancho y colocarlas en un plato hondo con $1/2$ taza de aceite de oliva. Dejar macerar.

A continuación, cortar la cebolla en aros. Calentar una sartén con la mantequilla y 2 cucharadas de aceite y saltear la cebolla hasta que esté tierna. Agregar el azúcar y seguir cocinando unos minutos más, hasta que se caramelice.

Para armar los montados, colocar un pequeño colchón de cebolla sobre las rodajas de pan tostado; luego añadir algunas tiras de pimiento morrón y, por último, unos trozos de atún. Condimentar con pimienta negra recién molida y decorar con hojas de perejil fritas.

* El pimiento también se puede asar en el horno, como se explica en la página 28.

Para freír las hojas de perejil:

Lavarlas, colocarlas sobre papel absorbente hasta que se sequen por completo y freírlas en aceite bien caliente. (Utilizarlas enseguida para evitar que se rompan.)

Rollitos de ricota, bacon y nueces

INGREDIENTES

200 g / 7 oz de masa philo*
o para strudel

150 g / 5 oz de
mantequilla/manteca derretida

$^1/_2$ taza de semillas de
sésamo/ajonjolí (opcional)

Para el relleno:

1 cda. de aceite de oliva

100 g / 3 $^1/_2$ oz de
bacon/panceta/tocino ahumado,
picado

400 g / 14 oz de queso ricota

100 g / 3 $^1/_2$ oz de nueces,
picadas

30 g / 1 oz de queso parmesano,
rallado

1 cda. de tomillo fresco, picado

sal y pimienta

Rinde para 12 rollitos

* Se vende preparada, en varias
capas grandes y muy finas.
Si sobra, se puede congelar envuelta
en papel plástico transparente.

Un aperitivo chic que se sirve bien caliente.

PREPARACIÓN

El relleno: calentar una sartén con el aceite de oliva y cocinar el bacon hasta que esté dorado. Colocarlo en un recipiente hondo y agregar la ricota, las nueces picadas, el queso parmesano y el tomillo. Condimentar con sal y pimienta y reservar.

Armado: desdoblar las capas de la masa philo sobre la mesa, tomar 4, estirarlas y colocarlas ordenadamente una encima de otra.
Cortar 12 rectángulos de 12 x 20 cm, tomando siempre las 4 capas juntas *(foto 1)*. Barnizar cada rectángulo con mantequilla derretida *(foto 2)*. Luego, disponer una cucharada de relleno en uno de los lados de la masa *(foto 3)*, darle forma cilíndrica con los dedos *(foto 4)* y enrollarla apretando suavemente *(foto 5)*. Volver a barnizar con mantequilla y, si se quiere, espolvorear con semillas de sésamo. Repetir esta operación para formar el resto de los rollitos. Colocar los rollitos en una bandeja para horno y cocinar a temperatura fuerte (200°C) durante 20 minutos, hasta que estén dorados.

Nota: los rollitos crudos se pueden congelar. Para cocinarlos, colocarlos directamente en el horno, a fuego moderado (180°C) durante 30 minutos.

1   2   3   4   5

Triángulos estilo armenio

INGREDIENTES

media receta de masa
de empanadas *(ver pág. 60)**

1 huevo

Para el relleno:

1 cda. de aceite de oliva

1 cebolla mediana, picada

250 g / 9 oz de de carne magra
picada/molida

1 cdita. de *baharat* o mezcla de
especias árabes: nuez moscada,
pimienta negra y blanca, canela,
clavo de olor, coriandro/cilantro
y, como opcional, comino

1 cdita. de jengibre/kion fresco,
rallado

1 cda. de pasas de uva

2 cdas. de piñones**

sal y pimienta

Rinde para 24 bocaditos

* También se pueden comprar
los discos de masa preparados.

** Se pueden reemplazar por
almendras peladas y partidas.

*Las clásicas empanadas abiertas armenias, en una versión para servir
como pequeños aperitivos calientes. Se pueden preparar con anticipación
y congelar.*

PREPARACIÓN

El relleno: calentar una sartén con el aceite de oliva y cocinar la cebolla
hasta que esté transparente. Agregar la carne y freír hasta que esté
cocida, revolviendo y separando para que no se formen pedazos
grandes. Añadir las especias y el jengibre, condimentar con sal
y pimienta y cocinar unos minutos más. Retirar del fuego e incorporar
las pasas y los piñones. Dejar descansar durante un mínimo de 2 horas
en el refrigerador para que se integren los sabores.

Armado: estirar la masa y cortar discos de 7-8 cm de diámetro.
A continuación, colocar una cucharada de relleno, escurriendo
el líquido, en el centro de cada uno de ellos *(foto 1)*. Humedecer
los bordes de la masa con agua. Luego, armar los triángulos abiertos:
formar tres lados en cada disco, doblándolos levemente hacia dentro
y uniéndolos de a dos, para obtener las puntas del triángulo *(foto 2)*.
Batir el huevo y barnizar los bordes de los triángulos.
Cocinar en el horno a temperatura moderada-fuerte (200°C),
hasta que se doren.

1   2

*Nota: acompañar con gajos de limón fresco,
para poder exprimir unas gotas sobre los
triángulos en el momento de comerlos.*

INGREDIENTES

6 hojas de puerro

5 huevos

2 cdas. de ciboulette/cebollín, picado

4 cdas. de aceite de oliva

Para el relleno:

2 pechugas de pollo

1 litro de caldo de verduras

300 g / 10 $^{1}/_{2}$ oz de espárragos

2 cdas. de mostaza

sal y pimienta

Rinde para 6 omelettes/ tortillas de huevo o 18 bocaditos

Omelettes arrolladas de pollo y espárragos

Una fusión entre crêpes, por su envoltorio, y sushi, por la técnica de arrollado y rebanado.
Ideales para lucirse en una ocasión especial.

PREPARACIÓN

Hervir las hojas de puerro, enfriarlas y cortarlas en 18 tiras de 1/2 x 25 cm *(foto 1)*. Batir ligeramente los huevos, agregarles la ciboulette y condimentar con sal y pimienta. Luego, calentar una sartén de 20 cm de diámetro con unas gotas de aceite. Cocinar las omelettes como si se hicieran crepas —colocando sólo 1/2 cucharón por vez—, dorándolas brevemente de cada lado y dándolas vuelta con un cuchillo de hoja ancha (rinde para 6 omelettes). Dejarlas enfriar a temperatura ambiente.

El relleno: hervir las pechugas de pollo en el caldo, hasta que estén cocidas. Enfriar y desmenuzar con los dedos en trocitos pequeños.
Hervir los espárragos en agua con sal hasta que estén tiernos. Escurrirlos, descartar la parte dura de los tallos y picar el resto. Mezclar el pollo con los espárragos y condimentar con mostaza, aceite, sal y pimienta.

Armado: colocar 2-3 cucharadas de relleno en cada omelette y enrollarlas *(fotos 2, 3 y 4)* comenzando por donde se colocó el relleno. Atar las omelettes utilizando 3 tiras de hojas de puerro para cada una, a modo de cordel *(foto 5)*. Anudar y cortar si hay excedentes. Dejar enfriar y, con un cuchillo afilado, cortar cada rollo en 3 bocaditos *(foto 6)*. Servir a temperatura ambiente.

Nota: se pueden preparar con un día de anticipación, conservando en frío.

Variante de relleno: otra buena opción es hacer un relleno de bacon/panceta/tocino ahumado, queso fresco en cubitos y champignons cortados en láminas y salteados.

1   2   3   4   5   6

Bruschettas bien sicilianas

De fácil preparación y de gusto general, son perfectas como aperitivo o como entrada.

INGREDIENTES

1 pan de campo

1 cabeza de ajo grande, entera

Para la caponata:

300 g / 10 ^{1}/$_2$ oz de berenjenas

1 taza de aceite de oliva

1 cebolla grande, picada

2 tomates/jitomates o tomates/jitomates perita/guaje

1 rama de apio

^{1}/$_2$ taza de hojas de albahaca, picadas

1 cda. de alcaparras desaladas

1 cda. de aceitunas/olivas, picadas

1 cdita. de ají/chile molido

2 cditas. de orégano

1 cdita. de sal

1 cdita. de azúcar

2 cdas. de vinagre

hojas de albahaca fresca

Rinde para 20 bruschettas

1   2

PREPARACIÓN

La caponata: cortar las berenjenas en cubitos y freírlas en aceite de oliva caliente hasta que estén doradas. Escurrirlas sobre papel absorbente. Aparte, calentar 2 cucharadas de aceite de oliva y cocinar la cebolla hasta que esté transparente. Pelar los tomates, quitarles las semillas y cortarlos en cubitos. Luego, pelar el apio –para sacarle los hilos– y picarlo. En un recipiente grande, mezclar todo: berenjenas y cebolla fritas y tomates y apio crudos. Añadir la albahaca, las alcaparras y las aceitunas. Por último, condimentar con el ají molido, el orégano, la sal, el azúcar y el vinagre. Refrigerar durante 24 horas, para que se combinen los sabores. Una hora antes de preparar las bruschettas, retirar la caponata del frío para servirla a temperatura ambiente.

Las rodajas de pan al ajo: envolver la cabeza de ajo en papel de aluminio y hornearla a temperatura baja (160ºC) durante una hora. Cortar el pan en rodajas de 1 cm de espesor. Rociar las rodajas con unas gotas de aceite de oliva. Calentar una sartén y dorarlas de ambos lados. Reservar. Retirar la cabeza de ajo del papel de aluminio y extraer la pulpa de los dientes –que tendrá la consistencia de un puré–, presionándolos levemente *(foto 1)*. Untar las rodajas de pan con la pulpa *(foto 2)*. Por último, disponer la caponata sobre las rodajas y decorar con hojas de albahaca.

Conos de parmesano rellenos

INGREDIENTES

480 g / 16 oz de queso parmesano, rallado fino

Para el relleno:

3 pechugas de pollo

1 litro de caldo de verduras

1/2 taza de perejil fresco, picado

jugo de 1 limón

2 cdas. de aceite de oliva

3 cdas. de pimiento morrón rojo, picado

3 cdas. de mostaza

2 cdas. de queso crema

sal y pimienta

Rinde para 12 conos

Un lujo que no es difícil de preparar. Pueden servirse como entrada antes de cualquier comida, o bien como una alternativa en una mesa buffet de «finger food».

PREPARACIÓN

Calentar una sartén antiadherente de 20 cm de diámetro. Colocar 2 cucharadas de queso parmesano en el centro de la sartén formando un círculo delgado de un máximo de 12-15 cm *(foto 1)*. Cocinar durante 2 minutos, hasta que esté burbujeante y apenas dorado en los bordes, cuidando que no se queme. Retirar del fuego y sacar de la sartén con la ayuda de un cuchillo de hoja ancha. Apoyar en una superficie limpia, e inmediatamente formar un cono o cucurucho, sosteniéndolo con los dedos unos segundos hasta que se enfríe lo suficiente como para conservar su forma *(foto 2)*. Es necesario trabajar rápidamente para que el queso no se endurezca antes de que logremos darle forma. Repetir la operación para hacer el resto de los conos.

El relleno: cocinar las pechugas de pollo en el caldo de verduras durante 20-30 minutos, hasta que estén bien cocidas. Dejarlas enfriar y luego desmenuzarlas en trozos pequeños. Mezclar con el perejil, el jugo de limón, el aceite, el pimiento, la mostaza y el queso crema. Condimentar con sal y pimienta. Rellenar los conos con una cucharada de la preparación y servirlos a temperatura ambiente.

Nota: los conos deben rellenarse a último momento para evitar que se ablande el queso pero pueden conservarse, sin relleno, en un recipiente hermético durante un máximo de 48 horas.

1   2

Pinchos de tortilla de patatas bravas

Combinamos aquí las dos tapas más ricas y populares de la cocina española: tortilla de patatas y patatas bravas.

INGREDIENTES

6 huevos

2 tazas de aceite de oliva

6 papas/patatas grandes peladas y cortadas en rodajas de 3 mm de espesor (1200 g / 42 oz en total)

Para la salsa:

2 cdas. de aceite de oliva

4 tomates/jitomates maduros o 1 lata (400 g/ 14 oz) de tomates perita/guaje, enteros

unas gotas de salsa tabasco

sal y pimienta

Rinde para 8 porciones

PREPARACIÓN

En un recipiente hondo y grande, batir ligeramente los huevos y condimentar con sal y pimienta. Calentar el aceite en una sartén de 25-28 cm de diámetro, trozar las rodajas de papa por la mitad y freírlas a fuego moderado, en una o dos tandas –no más– hasta que estén transparentes, revolviendo cada tanto (no importa si se pegan y se rompen un poco). Retirarlas del fuego a medida que se vayan ablandando (no se doran) y pasarlas directamente al recipiente que contiene los huevos batidos. A continuación, colocar un chorrito de aceite en la sartén y calentar a fuego moderado. Volcar el batido de la tortilla y cocinar con la sartén tapada, sin subir el fuego, para evitar que se queme la base. Cuando los bordes empiecen a dorarse, dar vuelta la tortilla de esta manera: cubrirla con la tapa y, con un movimiento rápido pero seguro, dar vuelta la sartén de modo que la tortilla quede sobre la tapa. Volver a colocar la sartén al fuego y deslizar la tortilla para que se dore unos minutos por debajo. Retirar del fuego. Si se va a servir tibia, cortarla enseguida en cubos, con un cuchillo bien afilado, para que no se desarme. En cambio, para servirla a temperatura ambiente, esperar a último momento para hacerlo. Acompañar con la salsa brava.

La salsa: calentar una cacerolita con el aceite y agregar los tomates cortados en cuartos. Cocinarlos hasta que se desarmen, unos 40 minutos. Condimentar con la salsa tabasco, sal y pimienta (aunque debe quedar picante, es aconsejable probarla para no excederse). Trabajar la preparación con un pisa puré o bien, procesarla, para obtener la salsa.

Son un plato completo

Tacos de arrachera

Estos auténticos tacos mexicanos han viajado por el mundo y hoy son un favorito internacional. Especiales para una reunión informal con chicos y jóvenes.

INGREDIENTES

12 tortillas de harina de trigo o de maíz*

500 g / 17 oz de carne de arrachera o lomo**

$^1/_2$ taza de salsa inglesa

350 ml de cerveza

$^1/_2$ cebolla cortada en juliana

6-8 cabezas de cebollitas de cambray/de verdeo

3 cdas. de aceite de canola

sal y pimienta

Para acompañar los tacos:

1 pimiento morrón verde

1 pimiento morrón amarillo

1 pimiento morrón rojo

1 cebolla

400 g / 14 oz de queso tipo gouda/holandés, rallado grueso

salsa de ají/chile picante

Rinde para 10-12 tacos

* Las tortillas se pueden comprar en supermercados, listas para calentar y consumir. En México se preparan tanto las de trigo como las de maíz, pero las primeras predominan en el norte y las de maíz en el sur –respondiendo a las respectivas zonas de cultivo–. Esta receta es del norte del país, por lo que suele servirse con tortillas de trigo.

** La arrachera es un corte típico de México. También se puede usar otro corte tierno, como el lomo o el filete.

PREPARACIÓN

Limpiar y desgrasar la carne. Cortarla en fajitas o tiritas de 1 x 2 cm, aproximadamente, y marinarla en la salsa inglesa y la cerveza. Condimentar con sal y pimienta y dejarla reposar durante un mínimo de una hora. Aparte, saltear la cebolla en una sartén con el aceite de canola, a fuego fuerte, hasta que se dore; añadir la carne y terminar la cocción. Mientras, asar las cebollitas de cambray en el grill (o bien dorarlas en la sartén). Servir la carne salteada y encima las cebollitas asadas.

Luego, cortar los tres tipos de pimientos en juliana fina y picar la cebolla en cubitos. Disponer los vegetales frescos en una o varias fuentes, junto al queso.

Por último, calentar las tortillas en una sartén bien caliente, de ambos lados, hasta que se ablanden un poco. Llevarlas a la mesa en una panera o cesta, envueltas en una servilleta grande, para que conserven el calor.

Reunir en la mesa la carne, los vegetales frescos, el queso, las tortillas y la salsa de ají. Cada comensal preparará los tacos llenando las tortillas a su gusto.

Nota: como los tacos son una comida informal y creativa, es usual agregar ingredientes o aderezos innovadores, que dejamos a libre gusto.

INGREDIENTES

12 tortillas de harina de trigo o de maíz
(ver pág. 23)

500 g / 17 oz de pescado blanco, fresco

2 tazas de aceite neutro

Para el batido:

1 $^1/_2$ taza de harina

2 tazas de cerveza

$^1/_2$ cdita. de polvo de hornear

1 pizca de orégano

sal

Para el guacamole:

1 taza de palta/aguacate pisado

jugo de $^1/_2$ limón

2 cdas. de cebolla en cubitos

4 cdas. de tomate/jitomate,
sin piel ni semillas, en cubitos

4 hojas de coriandro/cilantro fresco, picado

1 cda. de ají/chile fresco, picado

Para la salsa pico de gallo:

6 cdas. de tomate/jitomate,
sin piel ni semillas, en cubitos

2 cdas. de cebolla en cubitos

2 cdas. de ají/chile verde o rojo/serrano picado

1 taza de aceite neutro

2 cdas. de vinagre de manzana o de vino

jugo de 1 limón

sal y pimienta

Rinde para 10-12 tacos

Tacos estilo Tijuana

*Estos tacos de pescado, creados en la zona de Ensenada,
cerca de Tijuana, México, tienen el éxito garantizado.*

PREPARACIÓN

El batido: batir todos los ingredientes hasta que la preparación
esté uniforme.

El guacamole: incorporar el jugo de limón a la palta pisada para
que no se oscurezca. Mezclar con el resto de los ingredientes.
Sazonar y reservar.

La salsa pico de gallo: mezclar bien todos los vegetales.
Añadir el aceite, el vinagre, el limón, la sal y la pimienta.
Limpiar el pescado, extraerle las espinas y cortarlo en fajitas
o tiritas de 1-2 x 3 cm, aproximadamente. Calentar el aceite
en una sartén. Pasar las fajitas por el batido y freírlas hasta
que se doren. Retirarlas y colocarlas sobre papel absorbente.
Por último, calentar las tortillas en otra sartén bien caliente,
de ambos lados, hasta que se ablanden un poco. Llevarlas
a la mesa en una panera o cesta, envueltas en una servilleta
grande, para que conserven el calor durante la comida.
Servir presentando el pescado frito, el guacamole y la salsa
pico de gallo y acompañar, opcionalmente, con crema agria
o mayonesa.

INGREDIENTES

16 pizzetas precocidas
(ver pág. 58)

200 g / 7 oz de salsa de tomate/
jitomate para pizza*

300 g / 10 ½ oz de queso
de cabra desmenuzado

2 cdas. de aceite de oliva

300 g / 10 ½ oz de camarones
cocidos

1 diente de ajo picado

6-10 gotas de salsa tabasco
o salsa de ají/chile (opcional)

aceite de oliva (para rociar)

1 manojo de hojas de eneldo/dill
fresco

Rinde para 16 pizzetas

* Se puede comprar preparada o
hacerla. Si se opta por esta opción:
picar finamente una cebolla.
Saltearla en dos cucharadas de aceite
de oliva y agregar un diente de ajo
picado. Luego, añadir el contenido
de una lata de tomates/jitomates
picados, con su jugo. Sazonar con sal
y pimienta y cocinar en una cacerolita
destapada, a fuego bajo, durante 40
minutos.

Pizzetas de camarones

PREPARACIÓN

Untar las pizzetas con salsa de tomate. Esparcir encima un poco
del queso de cabra. Aparte, calentar el aceite de oliva y dorar los
camarones, junto con el ajo, a fuego muy fuerte durante 2 minutos.
Agregar la salsa tabasco y repartir sobre las pizzetas.
Cocinar a horno fuerte (220ºC) durante 10 minutos, retirar, rociar
con aceite de oliva y decorar con las hojas de eneldo.

Pizza caprese

INGREDIENTES

2 pizzas precocidas *(ver pág. 58)*

400 g / 14 oz de bocconcini
(mozzarella fresca, en bolitas)

200 g / 7 oz de salsa de tomate/
jitomate para pizza *(ver pág. 26)*

400 g / 14 oz de tomates/
jitomates cherry

aceite de oliva (para rociar)

1 taza de hojas de albahaca fresca

sal y pimienta

Rinde para 2 pizzas grandes

PREPARACIÓN

Escurrir bien los bocconcini y cortarlos por la mitad. Untar las pizzas con salsa de tomate y distribuir los bocconcini encima de cada una de ellas, en forma pareja. Lavar los tomates cherry y cortarlos al medio. Disponerlos sobre los bocconcini. Sazonar con sal y pimienta y rociar con un chorrito de aceite de oliva. Cocinar durante 10 minutos en horno fuerte (220ºC), hasta que el queso se derrita.
Retirar las pizzas del horno y esparcir encima las hojas de albahaca, previamente lavadas y secas (las pequeñas, enteras y las grandes, partidas).

Pizza mediterránea

INGREDIENTES

2 pizzas precocidas *(ver pág. 58)*

2 pimientos morrón rojos

2 berenjenas

2 tazas de aceite neutro

2 cebollas coloradas, en rodajas

2 cdas. de aceite de oliva

400 g / 14 oz de queso mozzarella

200 g / 7 oz de salsa de tomate/
jitomate para pizza *(ver pág. 26)*

aceite de oliva *(para rociar)*

sal y pimienta

Rinde para 2 pizzas grandes

PREPARACIÓN

Untar los pimientos morrón con aceite y hornearlos a fuego moderado
(180ºC) hasta que estén bien dorados. Retirarlos del horno y dejarlos
enfriar en un plato hondo cubiertos con papel plástico transparente.
Pelarlos, quitarles las semillas y cortarlos en tiras de 1 cm de ancho.
A continuación, cortar las berenjenas en rodajas finas y freírlas
en abundante aceite. Escurrirlas sobre papel absorbente. Saltear
brevemente las cebollas en el aceite de oliva y rallar la mozzarella en
rallador grueso o, si se usa fresca, escurrirla y cortarla en rodajas finas.
Untar las pizzas con salsa de tomate y distribuir encima la mozzarella,
las berenjenas, el pimiento y las cebollas. Rociar con aceite de oliva
y llevar a horno fuerte (220ºC) unos 10 minutos, hasta que el queso
se derrita.

Pizzetas gourmet

INGREDIENTES

16 pizzetas precocidas
(ver pág. 58)

200 g / 7 oz de jamón crudo

400 g / 14 oz de queso brie

2 tazas de hojas de
rúcula/arúgula

200 g / 7 oz de salsa de tomate/
jitomate para pizza *(ver pág. 26)*

pimienta negra

aceite de oliva (para rociar)

Rinde para 16 pizzetas

PREPARACIÓN

Quitarle la grasa al jamón y cortarlo en tiras anchas. Luego, cortar el queso brie (con su cáscara) en tajadas delgadas. Lavar y secar las hojas de rúcula. Untar las pizzetas con un poco de salsa de tomate y distribuir encima de cada una las tajadas de queso y las tiras de jamón, en forma pareja. Sazonar con abundante pimienta negra y rociar con un chorrito de aceite de oliva. Cocinar durante 10 minutos en horno fuerte (220°C), hasta que el queso se derrita. Retirar las pizzetas del horno y cubrir con las hojas de rúcula y unas gotas más de aceite de oliva. Servir inmediatamente.

una receta de masa de foccacia
(ver pág. 59)

2 cebollas, cortadas en rodajas finas

2 cdas. de aceite de oliva

1 taza de vino tinto

3 cdas. de azúcar

1 taza de hojas de espinaca

12 cditas. de mostaza, tipo Dijon

600 g / 21 oz de lomo de cerdo ahumado, en lonjas*

Rinde para 12 bocados

* Se puede reemplazar por jamón ahumado, roast beef o lomo asado, siempre que sean 12 lonjas.

Foccacia de lomito, cebollas en vino tinto y espinaca

PREPARACIÓN

Preparar la foccacia en una sola pieza cuadrada o rectangular de 36 x 24 cm, aproximadamente, y hornearla.

Freír las cebollas en una sartén con el aceite de oliva hasta que estén transparentes. Agregar el vino y el azúcar y cocinar hasta que el líquido se evapore y las cebollas estén tiernas. Lavar y secar bien las hojas de espinaca. Luego, cortar la foccacia en 12 rectángulos de 6 x 12 cm. Cortar los rectángulos por la mitad y untar ambas mitades con mostaza. Disponer una cucharada de cebollas, 2-3 hojas de espinaca y 2-3 lonjas de cerdo dobladas sobre 6 de las mitades, tapar con las 6 restantes y servir.

INGREDIENTES

una receta de masa de foccacia
(ver pág. 59)

2 berenjenas, cortadas en rodajas
finas

$^1/_2$ taza de aceite de oliva

400 g / 14 oz de tomates/
jitomates cherry lavados
y cortados por la mitad

4 cdas. de aceto/vinagre
balsámico

1 manzana (opcional)

jugo de 1 limón

mostaza tipo Dijon

400 g / 14 oz de queso mozzarella
fresco, en rodajas

2 tazas de hojas de rúcula/
arúgula lavadas y secadas

aceite de oliva (para rociar)

sal y pimienta

Rinde para 12 bocados

Mini foccacias de vegetales agridulces y mozzarella

PREPARACIÓN

Preparar la foccacia como bollitos y hornearlos *(ver pág. 59)*.
Freír las berenjenas en abundante aceite. Escurrirlas sobre papel
absorbente. Cocinar los tomates en una sartén con el aceto durante
2 minutos. Sazonar con sal y pimienta y reservar. Luego, si incluimos
la manzana, pelarla y cortarla en 12 rodajas muy finas, retirando las
semillas. Rociar inmediatamente con jugo de limón, para evitar que
se oxiden. Cortar los 12 bollitos de foccacia por la mitad, tostarlos
ligeramente y untar ambas partes con mostaza. Armar los bocados
colocando en cada base una rodaja de manzana, 1-2 rodajas de
berenjena, una cucharada de tomate, 1-2 rodajas de mozzarella y algunas
hojas de rúcula. Condimentar con sal y pimienta y rociar con unas gotas
de aceite de oliva antes de tapar con la otra mitad para servir.

INGREDIENTES

una receta de masa quebrada
o brisée *(ver pág. 61)*

2 cebollas

4 cdas. de aceite neutro

3 cdas. de azúcar

500 g / 17 oz de champignons
frescos

200 g / 7 oz de queso gruyère

400 ml de crema de leche

6 huevos

sal y pimienta negra, recién
molida

*Rinde para 16 tartaletas
rectangulares de 6 x 11 cm;
o bien redondas de 9 cm
de diámetro*

Tartaletas de hongos y cebollas caramelizadas

PREPARACIÓN

Estirar la masa sobre una superficie enharinada hasta que alcance
un grosor de 2 mm. Cortarla en rectángulos o círculos, usando los moldes
de las tartaletas. Forrar los moldes, pincharlos con un tenedor y llevarlos
al horno para una primera cocción, hasta que empiecen a dorarse, unos
10 minutos.

Cortar las cebollas en aros. Saltearlas en una sartén con el aceite hasta
que estén transparentes. Agregar el azúcar y cocinar 5 minutos. Añadir
los champignons cortados en finas rodajas y cocinar 10 minutos más.
Aparte, batir ligeramente el queso, la crema y los huevos. Unir las dos
preparaciones y sazonar con sal y pimienta negra. Rellenar las tartaletas
y hornear durante 15-20 minutos.

Quiche a los cinco quesos

INGREDIENTES

una receta de masa quebrada
o brisée *(ver pág. 61)*

8 huevos

500 g / 17 oz de queso ricota

100 g / 3 $^1/_2$ oz de queso gruyère,
rallado

180 g / 6 oz de queso parmesano,
rallado

250 g / 9 oz de queso
fresco/mantecoso, en cubitos

100 g / 3 $^1/_2$ oz de queso azul,
en cubitos

100 ml de crema de leche

pimienta

*Rinde para 16 tartaletas
redondas de 9 cm de diámetro;
o bien rectangulares
de 6 x 11 cm*

PREPARACIÓN

Estirar la masa sobre una superficie enharinada hasta que alcance
un grosor de 2 mm. Cortar círculos marcándolos con los moldes
de las tartaletas. Forrar los moldes con los discos de masa, pincharlos
con un tenedor y llevarlos al horno para una primera cocción. Batir
ligeramente los huevos y mezclar con la ricota, el resto de los quesos
y la crema. Condimentar con pimienta. Distribuir la preparación sobre
los moldes y cocinar en horno moderado (180ºC) durante 20 minutos.

INGREDIENTES

150 g / 5 oz de masa philo*
o para strudel

6 tomates/jitomates maduros,
pequeños

2 berenjenas

350 g / 12 oz de queso ricota

3 cdas. de aceite de oliva

2 cdas. de ciboulette/cebollín,
picado

3 cdas. de queso parmesano,
rallado

100 g / 3 ¹/₂ oz de
mantequilla/manteca derretida

sal y pimienta

*Rinde para 12 tartaletas
de 9 cm de diámetro*

* Se vende preparada, en varias
capas grandes y muy finas.

Tartaletas finas de tomates confitados

PREPARACIÓN

Cortar los tomates por la mitad y las berenjenas en rodajas finas.
Colocarlos en una bandeja para horno, rociarlos con aceite de oliva,
condimentarlos con sal y pimienta y cocinarlos a temperatura
moderada (180°C) durante 30 minutos.

Aparte, mezclar la ricota con el aceite de oliva, la ciboulette y el queso.
Sazonar con sal y pimienta y reservar.

Desdoblar las capas de la masa philo sobre la mesa, tomar 4, estirarlas
y apilarlas. Cortar 12 cuadrados de 12 x 12 cm, tomando siempre
las 4 capas juntas. Barnizar cada capa del cuadrado con mantequilla
derretida (*foto 1*), volver a agruparlas en los 12 cuadrados y, con ellos,
forrar los moldes previamente enmantequillados (*foto 2*). Por último,
disponer una cucharada de relleno de ricota en cada molde (*foto 3*),
colocar encima una rodaja de berenjena y medio tomate (*foto 4*).
Hornear a temperatura moderada (180°C) durante 20-30 minutos,
hasta que se doren las tartaletas.

Quiche de espárragos

INGREDIENTES

una receta de masa quebrada
o brisée *(ver pág. 61)*

500 g / 17 oz de espárragos

8 huevos

400 ml de crema de leche

8 cdas. de queso parmesano

400 g / 14 oz de queso
blanco/crema

sal y pimienta

Rinde para 16 porciones

PREPARACIÓN

Estirar la masa sobre una superficie enharinada hasta que alcance
un grosor de 3 mm. Forrar con ella una tartera cuadrada de 30 x 30 cm,
o rectangular de 24 x 34 cm. Pinchar la masa con un tenedor y llevarla
al horno (180ºC) para una primera cocción, 10-12 minutos. Hervir los
espárragos en agua con sal 10 minutos, hasta que estén tiernos. Escurrirlos
y cortarles las puntas, calculando que éstas midan aproximadamente 8 cm.
Aparte, mezclar los huevos con la crema y los quesos, sazonar con sal
y pimienta y volcar dentro de la tarta. Distribuir encima las puntas
de espárragos, ordenándolas según como se vayan a cortar las porciones.
Hornear a temperatura moderada (180°C) durante 40 minutos.
Dejar entibiar antes de cortar. Servir tibia o a temperatura ambiente.

INGREDIENTES

Para las hamburguesas:

2 cdas. de aceite de oliva

1 cebolla rallada

900 g / 31 $^1/_2$ oz de carne magra, picada/molida

2 cdas. de queso parmesano, rallado

2 cdas. de pan rallado/molido

1 cda. de mostaza

1 cda. de perejil picado

sal y pimienta

Para armar el sándwich:

6 panes/bollos para hamburguesas

$^1/_2$ taza de mayonesa

3 cdas. de perejil picado

6 hojas de lechuga

6 lonjas de queso tipo cheddar

2 tomates/jitomates, cortados en rodajas finas

Rinde para 6 hamburguesas

Las mejores hamburguesas caseras

Las hamburguesas caseras no sólo son mucho más saludables que las de cadenas de comidas rápidas, también son más sabrosas y nutritivas. Ideales para los más chicos y para comidas informales.

PREPARACIÓN

Las hamburguesas: calentar una sartén con aceite de oliva, agregar la cebolla y cocinarla hasta que esté transparente. Retirarla de la sartén y mezclarla con la carne, el queso parmesano, el pan rallado, la mostaza y el perejil. Sazonar con sal y pimienta. A continuación, dividir la preparación en 6 porciones iguales y darles forma de discos de alrededor de 11-12 cm de diámetro (luego se reducirán un poco). Cocinar sobre una plancha muy caliente, apenas aceitada, durante 7-8 minutos de cada lado —aplastando los discos para que mantengan su forma—. Las hamburguesas deben quedar completamente cocidas, especialmente en su interior. Cuando falten pocos minutos para terminar la cocción de la carne, cortar los panes por la mitad y calentarlos sobre la misma plancha.

Armado*: mezclar la mayonesa con el perejil. Untar las mitades de pan que servirán de base con una cucharadita de esta preparación y luego colocar una hoja de lechuga, la carne, una lonja de queso y una rodaja de tomate sobre cada una de ellas. Tapar con la otra mitad de pan. Se puede acompañar, en la mesa, con mostaza y ketchup.

* También se puede servir cada ingrediente en una fuente (carne, pan, complementos y condimentos) para que los comensales armen cada uno sus hamburguesas.

Variantes de ingredientes: rodajas de huevo duro, lonjas de bacon/panceta/tocino dorado, pepinillo cortado en rodajas, aros de cebolla crudos o fritos, tiras de pimiento morrón asado, palta/aguacate pisado —con gotas de limón para que no se oxide—.

Variantes de condimentos: salsa picante de ají/chile o salsa barbacoa.

INGREDIENTES

18 discos de masa
de empanadas *(ver pág. 60)*

1200 g / 42 oz de carne vacuna
o de res*

$^1/_2$ taza de aceite neutro

3 cebollas, bien picadas

150 g / 5 oz de pimiento morrón
rojo, sin semillas y bien picado

2 cdas. de ají/chile o pimentón
dulce molido**

2 cditas. de comino molido

1 huevo

sal y pimienta

Rinde para 18 empanadas

* Se puede usar variedad de cortes
de carne magra, desde la nalga/
posta hasta el lomo/filete.

** Las empanadas argentinas no
suelen ser picantes, pero en algunas
regiones cercanas a la Cordillera
de los Andes sí lo son. En ese caso,
se les agrega ají/chile o pimentón
picante molido, a gusto.

Empanadas argentinas de carne

Existen versiones de las empanadas en distintas regiones del mundo (desde Oriente Medio hasta América e Indonesia), pero las argentinas son especialmente ricas y sencillas. Aquí incluimos la receta tradicional, con relleno de carne.

PREPARACIÓN

Desgrasar la carne y cortarla con un cuchillo bien afilado, en pequeños trocitos de aproximadamente 1/2 cm de lado. Calentar una sartén con la mitad del aceite y freír la carne a fuego fuerte, sin revolver, hasta que comience a dorarse. Luego, en otra sartén, cocinar la cebolla y el pimiento morrón con el resto del aceite durante 5 minutos, también a fuego fuerte. Unir ambas preparaciones y condimentar con pimentón, comino, sal y pimienta. Es recomendable dejar reposar el relleno una noche, aunque una vez que se encuentra a temperatura ambiente ya está listo para ser utilizado.

Armado: trabajar en una mesa enharinada, con un disco de masa a la vez. Mojar el borde del disco con un poco de agua tibia, colocar una cucharada de relleno en el centro *(foto 1)* y cerrar la masa, formando un semicírculo *(foto 2)*. Presionar bien el borde, para evitar que se salga el relleno durante la cocción.

Luego, formar el «repulgue», haciendo pequeños dobleces en el borde y presionando entre uno y otro *(foto 3)**. Finalmente, barnizar con un huevo ligeramente batido y hornear a temperatura moderada (180°C) durante 20-25 minutos, hasta que la masa esté dorada.

Nota: aquí ofrecemos el relleno clásico, pero hay regiones de Argentina en las que las empanadas suelen incluir más ingredientes: en la Cordillera, aceitunas, huevo duro cortado en 4 y, a veces, pasas de uva; y en el Norte, papas/patatas precocidas y cortadas en cubitos. Estos agregados se incorporan al final, con el relleno ya frío.

* Para simplificar, se puede reemplazar el «repulgue» por rayitas hechas pisando el borde con un tenedor.

1   2   3

Otros rellenos de empanadas argentinas

Las tres recetas de esta página rinden para 18 empanadas, hechas con una receta de masa según la página 60.

Humita (choclo/elote/maíz en grano)

INGREDIENTES

1 cda. de aceite neutro · $^1/_2$ cebolla picada · 50 g / 1 $^1/_2$ oz de pimiento morrón rojo, picado · 500 g / 17 oz de choclo/elote/maíz en grano, congelado o en lata · 2-3 cdas. de leche · 2 cdas. de queso parmesano, rallado · sal y pimienta

Calentar una sartén con el aceite y cocinar la cebolla hasta que esté transparente. Agregar el pimiento morrón y cocinar durante 2 minutos más. Procesar 250 g / 9 oz de choclo con un poco de agua de conserva o 2-3 cucharadas de leche* y mezclarlo con el resto de los granos de choclo y el queso. Integrar bien. Condimentar con sal y pimienta y rellenar las empanadas (*ver pág. 39*).

* En lugar de procesar la mitad del choclo con un poco de leche, se puede reemplazar esta parte por choclo cremoso en lata.

Pollo picante

INGREDIENTES

3 cdas. de aceite neutro · 2 cebollas picadas · 2 cebollitas de cambray/de verdeo, picadas* · 1 pimiento morrón rojo, picado · 1 ají/chile picado, sin semillas · 1200 g / 42 oz de pechugas de pollo cocidas · 1 cda. de pimentón molido dulce · sal y pimienta

* Se pueden reemplazar por $^1/_2$ cebolla más o por 3 échalottes/escalonias.

Calentar una sartén con el aceite, agregar la cebolla, las cebollitas de cambray, el pimiento morrón y el ají. Desmenuzar bien el pollo y agregarlo a la preparación. Condimentar con pimentón, sal y pimienta y rellenar las empanadas (*ver pág. 39*).

Queso y cebolla

INGREDIENTES

1 cda. de aceite neutro · 2 cebollas, picadas finamente · 500 g / 17 oz de queso blando tipo fresco o mantecoso, adecuado para fundir · 4 cdas. de queso parmesano, rallado · sal y pimienta

Calentar una sartén con el aceite y cocinar la cebolla hasta que esté transparente. Sazonar con sal y pimienta. Cortar el queso fresco o mantecoso en cubitos y mezclarlo con el queso rallado y las cebollas. Integrar y rellenar las empanadas (*ver pág. 39*).

Bocados dulces con las manos

Alfajores triples de dulce de leche

INGREDIENTES

50 g / 1 ¹/₂ oz de
mantequilla/manteca

2 tazas de harina

4 yemas

²/₃ de vaso de vino blanco dulce

Para el relleno:

400 g / 14 oz de dulce de leche
repostero/cajeta/manjar blanco*

Para la cobertura:

2 claras

4 cdas. de azúcar

Rinde para 16 alfajores

* El dulce de leche repostero
es más consistente que el común,
pero es posible utilizar el normal.
Para prepararlo en casa, colocar
2 latas de leche condensada cerradas
en una cacerola con agua hirviendo
durante una hora. Dejar enfriar
completamente antes de abrir.
Batir ligeramente para obtener
una consistencia espesa y lisa.

Una delicia originaria del Río de la Plata, con sabor a dulces antiguos.

PREPARACIÓN

La masa: incorporar la mantequilla a la harina en el procesador o con
un tenedor hasta integrarlas bien. Aparte, batir ligeramente las yemas
junto con el vino blanco, unir a la preparación de harina y amasar hasta
formar una masa lisa. Refrigerar durante 2 horas. Estirar la masa sobre
la mesa enharinada hasta que quede muy delgada, de 1 mm de espesor.
Cortar discos de 5 cm dc diámetro, con la ayuda de un vasito
o de un corta pasta *(foto 1)* y colocarlos sobre una bandeja para horno.
Pincharlos con un tenedor *(foto 2)* y hornearlos a temperatura fuerte
(220°C), durante 5-7 minutos, hasta que estén dorados. Retirar y dejar
enfriar.

Armado: utilizar 3 discos de masa por alfajor, superponiendo 2 discos
untados con dulce de leche y tapando con el último *(fotos 3 y 4)*.

La cobertura de merengue: batir las claras a punto nieve muy cerrado. Añadir
el azúcar en forma de lluvia y batir hasta lograr un merengue firme
y brillante. Decorar los alfajores con un copete de merengue *(foto 5)*.

1   2   3   4   5

Tartitas abiertas de peras especiadas

INGREDIENTES

una receta de masa azucarada o sucrée *(ver pág. 61)*

Para el relleno:

6 peras

100 g / 3 ½ oz de mantequilla/ manteca

200 g / 7 oz de azúcar

1 cdita. de extracto de vainilla

1 cdita. de canela

1 pizca de cardamomo molido

jugo de ½ limón

Rinde para 16 tartaletas redondas de 11-12 cm de diámetro.

Unas ricas y suaves tartaletas, presentadas artesanalmente, ya que se les da forma con las manos.

PREPARACIÓN

El relleno: pelar y cortar las peras en cubitos, descartando el centro y las semillas. Calentar una sartén con la mantequilla y el azúcar, añadir las peras y cocinar durante 8-10 minutos, hasta que estén tiernas. Saborizar con el extracto de vainilla, la canela, el cardamomo y el jugo de limón. Retirar del fuego y dejar enfriar.

Luego, estirar la masa en forma pareja sobre la mesa enharinada, hasta que tenga unos 2 mm de espesor, y cortar círculos de 11-12 cm de diámetro *(foto 1)*. Tomar los círculos uno por uno, colocarles una cucharada de relleno en el centro *(foto 2)* y levantarles los bordes hacia el centro, apretando los dobleces de la masa entre sí para que se sostengan, pero dejando el relleno a la vista *(fotos 3 y 4)*. Resultarán tartitas de unos 7-8 cm de diámetro. Cocinar en horno moderado (180°C) durante 15-20 minutos, hasta que la masa esté dorada. Decorar espolvoreando con azúcar extra fino/glas/impalpable.

1   2   3   4

INGREDIENTES

una receta de masa azucarada
o sucrée *(ver pág. 61)*

Para el relleno:

6 plátanos/bananas,
que no estén muy maduros

jugo de 1 limón

150 g / 5 oz de
mantequilla/manteca

300 g / 10 $^{1}/_{2}$ oz de azúcar

2 cditas. de extracto de vainilla

Para la presentación:

100 g / 3 $^{1}/_{2}$ oz de chocolate
cobertura semiamargo

*Rinde para 16 tartaletas
redondas de 8 cm de diámetro*

Mini Tatins de plátano/banana

La clásica tarta Tatin de manzanas se transforma en pequeñas tartaletas de plátanos acarameladas, tibias y deliciosas.

PREPARACIÓN

Estirar la masa en forma pareja hasta que tenga unos 2 mm de espesor. Cortar 16 círculos de masa de 9-10 cm de diámetro, con la ayuda de los moldes* de tartaleta que se van a utilizar *(fotos 1 y 2)*.

El relleno: cortar los plátanos en rodajas de 2 cm de grosor. Rociarlas inmediatamente con jugo de limón para evitar que se oxiden. Luego, calentar una sartén y agregar la mantequilla y el azúcar. Cocinar hasta que se empiece a caramelizar, adquiriendo un color dorado. Disponer las rodajas de plátano en la sartén cuidadosamente *(foto 3)*. Añadir el extracto de vainilla y cocinar brevemente de cada lado, no más de 5 minutos en total.

Retirar del fuego y distribuir las rodajas de plátano acarameladas, con su caramelo, en los moldes de tartaleta *(foto 4)*. Luego, cubrir cada molde con un disco de masa, sellando bien los bordes para envolver el relleno. Cocinar en horno precalentado a temperatura moderada (180°C), durante 20-25 minutos, hasta que la masa esté bien dorada *(foto 5)*. Retirar y dejar reposar un momento para poder desmoldar las tartaletas sin quemarse pero hacerlo mientras el caramelo sigue líquido, para que se despeguen fácilmente del fondo. Desmoldar sobre los platos en que se va a servir. Decorar, opcionalmente, con rulitos de chocolate realizados con la ayuda de un pelapapas/ sacabocados.

* Es preferible que los moldes sean de teflón o de silicona para evitar que los plátanos se peguen al desmoldar las tartaletas.

1   2   3   4   5

INGREDIENTES

220 g / 8 oz de masa philo*
o para strudel

150 g / 5 oz de
mantequilla/manteca fundida

Para el relleno:

50 g / 1 ^{1}/$_2$ oz de nueces

50 g / 1 ^{1}/$_2$ oz de almendras

50 g / 1 ^{1}/$_2$ oz de maní/cacahuate
tostado

100 g / 3 ^{1}/$_2$ oz de
mantequilla/manteca

100 g / 3 ^{1}/$_2$ oz de azúcar

Para el almíbar:

100 g / 3 ^{1}/$_2$ oz de azúcar

100 ml de agua

cáscara de 1 naranja

Rinde para 12 triángulos

* Se vende preparada, en varias
capas grandes y muy finas. Si sobra,
se puede congelar envuelta en papel
plástico transparente.

Bocaditos orientales de frutas secas

Unos pastelitos perfectos para servir por la tarde, con café, o llevar a la casa de amigos,
ya que se pueden preparar con anticipación y son fáciles de transportar.

PREPARACIÓN

El relleno: procesar o triturar las frutas secas en el procesador o licuadora. En una sartén, calentar la mantequilla y el azúcar, hasta que se disuelva. Agregar las frutas procesadas, revolver y cocinar durante 2 minutos. Dejar enfriar.

Armado: desdoblar las capas de la masa philo sobre la mesa, tomar 4, estirarlas y apilarlas. Cortar 12 rectángulos de 8 x 35 cm, tomando siempre las 4 capas juntas *(foto 1)*. Barnizar cada capa del rectángulo con mantequilla derretida *(foto 2)*, agrupar las capas en los 12 rectángulos nuevamente y disponer sobre la mesa para rellenar. Tomar un rectángulo y colocarle una cucharada de relleno en uno de los extremos *(foto 3)*. Doblarlo formando un primer triángulo *(foto 4)*. Continuar envolviéndolo siempre doblando los triángulos sobre sí mismos hasta terminar. Si hay sobrantes de masa, recortarlos *(foto 5)*. Colocar los triángulos con el cierre hacia abajo, sobre una bandeja para horno y volver a barnizar con mantequilla derretida. Cocinar en horno precalentado a temperatura fuerte (220°C) durante 15-20 minutos, hasta que la masa esté dorada.

El almíbar: colocar el azúcar, el agua y la cáscara de naranja en una cacerolita y llevar al fuego fuerte. Cocinar hasta que el almíbar se espese y se formen burbujas grandes –unos 10 minutos más después de que hierva–. Antes de servir, pintar los triángulos con el almíbar tibio.

1   2   3   4   5

Pastelitos esponjosos con crema y frutas rojas

INGREDIENTES

4 huevos a temperatura ambiente

150 g / 5 oz de azúcar

1 cdita. de extracto de vainilla

ralladura de 1 limón

120 g / 4 oz de harina

300 ml de crema de leche

100 g / 3 $\frac{1}{2}$ oz de azúcar

2 tazas de frutas rojas surtidas, lavadas y secadas* (frutillas/ fresas, frambuesas, arándanos, moras u otras)

Para la presentación:

3 cdas. de azúcar extra fino/glas/impalpable

Rinde para 12 pastelitos

* Si se usan congeladas, descongelar a temperatura ambiente durante una hora *(foto 1)*.

Vistosos y de gusto universal, estos pastelitos son sencillos y muy ricos. Se pueden rellenar con todo tipo de frutas.

PREPARACIÓN

Enmantequillar y enharinar 12 moldes de muffins o madalenas, de aproximadamente 7 cm de diámetro. Batir los huevos con el azúcar enérgicamente hasta que se blanqueen por completo, se vuelvan esponjosos y dupliquen su volumen. Agregar el extracto de vainilla y la ralladura de limón. Tamizar la harina e incorporarla en forma envolvente, con suavidad, para que no se reduzca el volumen de la preparación. Distribuirla en los moldes, rellenándolos casi hasta el borde. Cocinar en horno precalentado a temperatura moderada (180°C) durante 20 minutos. Dejar enfriar y desmoldar.

Luego, batir la crema con el azúcar hasta que esté firme, es decir, hasta que se marquen huellas en la superficie y, al levantar la batidora, se formen puntas.

Armado: cortar los pastelitos por la mitad *(foto 2)*. Untar una de las mitades con una cucharada de crema batida. Colocar frutas rojas surtidas encima y tapar con la otra mitad. Por último, espolvorear con el azúcar extra fino.

1   2

Brownies de almendra

Inspirados en el clásico pastel de Galicia, la "Torta de Santiago", estos dulces con el singular sabor de las almendras son increíblemente fáciles de preparar e infalibles en su resultado.

INGREDIENTES

4 huevos

200 g / 7 oz de azúcar

ralladura de 1 limón

1 cdita. de canela en polvo

200 g / 7 oz de almendras peladas y molidas, o bien polvo de almendras*

Para la presentación:

3 cdas. de azúcar extra fino/glas/ impalpable

Rinde para 20 brownies

* Si no se encuentra polvo de almendras preparado: pelar las almendras, tostarlas ligeramente en el horno y procesarlas con una cucharada de azúcar extra fino, para lograr la consistencia de polvo.

PREPARACIÓN

Enmantequillar y enharinar un molde rectangular de 20 x 25 cm, aproximadamente. Batir los huevos con el azúcar hasta que se blanqueen y se vuelvan muy esponjosos. Agregar la ralladura de limón y la canela. Incorporar las almendras molidas gradualmente, con movimientos envolventes, hasta que quede una preparación uniforme. Colocarla en el molde, alisando un poco la superficie. Cocinar en horno precalentado a temperatura moderada (180°C) durante 30 minutos, o bien hasta que al introducir un palillo en el centro, éste salga seco. Dejar enfriar bien y espolvorear, si se quiere, con el azúcar extra fino. Servir cortado en cuadrados de 5 cm de lado.

Brochettes de frutas

INGREDIENTES

1/2 piña/ananá

2 peras o 2 manzanas

2-3 plátanos/bananas

4 kiwis

jugo de 2 limones

12 frutillas/fresas

12 uvas

1/2 taza de miel

Para el coulis de frambuesas*:

1/2 taza de azúcar

1/2 taza de agua

1 taza de frambuesas

Para la salsa de chocolate:

100 g / 3 1/2 oz de chocolate
cobertura semiamargo

30 g / 1 oz de
mantequilla/manteca

100 ml de leche

Rinde para 12 brochettes

* Se pueden reemplazar
por frutillas/fresas.

*Una muy buena idea para culminar una cena contundente…
o una perfecta alternativa light a una mesa de postres calóricos.*

PREPARACIÓN

Pelar y cortar la piña y las peras o manzanas en cubos, y los plátanos
y los kiwis en rodajas gruesas. Rociar las peras y los plátanos con
el jugo de limón para evitar que se oxiden. Lavar y quitarles los cabos
a las frutillas y a las uvas. Armar las brochettes introduciendo las frutas
en los palitos de madera, siempre en el mismo orden, y buscando
alternar colores. Si se mantienen refrigeradas, se pueden armar hasta
con 2 horas de anticipación. Antes de servir, rociar cada brochette con
una cucharadita de miel. Acompañar con el coulis de frambuesas y la salsa.

El coulis: colocar el azúcar y el agua en una cacerolita. Llevar al fuego
y, una vez que rompa el hervor, cocinar durante 5 minutos más hasta
lograr un almíbar liviano. Dejar enfriar. Licuar o procesar las
frambuesas junto con este almíbar.

La salsa de chocolate: picar el chocolate y colocarlo junto con la mantequilla
y la leche en una cacerolita. Llevar a fuego muy bajo. Revolver hasta
que se funda el chocolate y la preparación esté homogénea. No dejar
que hierva. Servir tibia.

Variantes de frutas: se pueden reemplazar algunas frutas frescas por otras,
según el gusto de los comensales, la región y la estación del año.

Variante de salsa: se puede reemplazar la salsa de chocolate por una salsa
de dulce de leche/cajeta, mezclando 100 g / 3 1/2 oz de dulce de leche
con 50 ml de leche, revolviendo hasta diluir por completo, y entibiando
ligeramente al fuego.

Pequeñas rocas de chocolate

INGREDIENTES

400 g / 14 oz de chocolate semiamargo

50 g / 1 ½ oz de nueces picadas

50 g / 1 ½ oz de coco rallado

100 g / 3 ½ oz de ciruelas pasas/secas, picadas

Para la presentación:

2 cdas. de cacao en polvo semiamargo

Rinde para 32-36 bombones

La manera más fácil de hacer bombones caseros, originales y sofisticados. Además de servirlos con el café, los podemos regalar en bonitas cajas con cintas (foto 2).

PREPARACIÓN

Cortar el chocolate en trocitos y derretirlo en el microondas, a temperatura máxima, con intervalos de 30 segundos, para evitar que se queme. Revolver en cada intervalo, hasta que quede homogéneo. A continuación incorporar las nueces, el coco y las ciruelas e integrar bien. Con la ayuda de dos cucharas, y mientras el chocolate todavía está caliente, formar pequeñas bolitas del tamaño de una nuez *(foto 1)* y colocarlas sobre una bandeja para horno, forrada con papel encerado/enmantequillado, o sobre una plancha de silicona.

Llevar al refrigerador durante 30 minutos, para que las rocas se vuelvan sólidas (luego se pueden conservar a temperatura ambiente, mientras no exceda los 22°C, si no, mantener refrigeradas). Espolvorear con el cacao al momento de servir.

1   2

MASAS DE BASE

  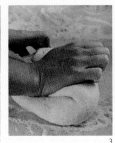  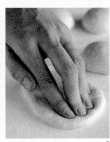

1   2   3   4   5

MASA DE PIZZA

INGREDIENTES

20 g / ³/₄ oz de levadura fresca

10 ml de agua tibia

¹/₂ cdita. de azúcar

500 g / 17 oz de harina

¹/₂ cdita. de sal

1 cda. de aceite de oliva

agua, cantidad necesaria (aproximadamente 300 ml)

Rinde para 2 pizzas grandes o 16 pizzetas individuales

Disolver la levadura en el agua con azúcar *(foto 1)*. Tapar y dejar levar en un lugar templado. Disponer en una mesa la harina y la sal en forma de corona. Colocar la levadura y el aceite en el centro *(foto 2)*. Integrar de a poco y añadir la cantidad necesaria de agua para lograr una masa tierna. Amasarla durante 10-15 minutos *(foto 3)*, hasta que quede lisa y elástica (cuando, al hundir un dedo en la superficie, ésta vuelve a su lugar). Formar un bollo y colocarlo dentro de un recipiente tapado en un lugar cálido para que leve, hasta duplicar su volumen *(foto 4)*.

Para pizzas: cortar la masa por la mitad y armar 2 bollos, haciéndolos girar con la mano sobre la mesa. Luego, estirarlos sobre una bandeja para horno redonda, previamente aceitada, hasta obtener un círculo. Debe quedar bien delgado.

Para pizzetas: dividir la masa en 2 partes, luego cada una en 4 y luego en 8 porciones, para obtener 16 pizzetas en total. Formar bollos y aplastarlos con las manos *(foto 5)* dándoles forma circular o irregular, si se prefiere.

Pre cocinar las pizzas o pizzetas en horno fuerte (220ºC) durante 10 minutos. Rellenar según la receta elegida y dar la segunda cocción.

1   2

INGREDIENTES

30 g / 1 oz de levadura fresca

250 ml de agua

500 g / 17 oz de harina

1 cdita. de sal

$^1/_2$ taza de aceite de oliva

2 cdas. de romero fresco

100 g / 3 $^1/_2$ oz de aceitunas

1 cda. de sal gruesa

*Rinde para 1 molde
de 36 x 24 cm,
–aproximadamente–,
o 12 bollitos para sándwiches
individuales*

MASA DE FOCCACIA

Proceder igual que con la masa de pizza. Una vez que ésta duplique su volumen, volver a amasar para desgasificar y, si se va a hornear entera, colocar dentro de un molde aceitado de 36 x 24 cm, aproximadamente *(foto 1)*. Colocar el romero, las aceitunas y los granos de sal gruesa sobre la superficie *(foto 2)*. Si se opta por bollos individuales, dividir la masa en 2, luego en 4, y finalmente en 3, para obtener 12 bollitos. Formar los bollos haciéndolos rodar con la mano sobre la mesa, ejerciendo una leve presión. Cocinar en horno a temperatura fuerte (220ºC) durante 35-40 minutos.

INGREDIENTES

500 g / 17 oz de harina

125 g / 4 ¹/₂ oz de grasa vacuna

1 huevo

1 cdita. de sal

200 ml de agua, a temperatura ambiente

Rinde para 18 discos de masa de empanadas

MEDIA RECETA

250 g / 9 oz de harina

60 g / 2 ¹/₂ oz de grasa vacuna

1 yema

¹/₂ cdita. de sal

100 ml de agua, a temperatura ambiente

Rinde para 9 discos de masa de empanadas

MASA DE EMPANADAS

Disponer la harina sobre la mesa en forma de corona. En el centro, colocar la grasa fundida pero no caliente, el huevo y la sal *(foto 1)*. Comenzar a integrar y agregar el agua gradualmente (puede necesitarse un poco más o un poco menos) hasta formar una masa tierna *(foto 2)*. Cubrir con papel plástico transparente y dejar descansar durante 30 minutos a temperatura ambiente. Estirar sobre una superficie enharinada *(foto 3)* y cortar círculos de 12-14 cm de diámetro *(foto 4)*.

INGREDIENTES

300 g / 10 $^1/_2$ oz de harina

1 cdita. de sal

150 g / 5 oz de mantequilla/
manteca

1 huevo

agua fría, cantidad necesaria
(aproximadamente 2 cucharadas)

INGREDIENTES

300 g / 10 $^1/_2$ oz de harina

100 g / 3 $^1/_2$ oz de azúcar extra
fino/glas/impalpable

120 g / 4 oz de mantequilla/
manteca, cortada en cubos y fría

agua fría, cantidad necesaria

*Rinden para una tarta de 28 cm
de diámetro o 16 tartaletas
(ver rendimiento específico
en cada receta)*

MASA QUEBRADA O BRISÉE

Colocar la harina y la sal en la procesadora*.
Agregar la mantequilla fría cortada en cubitos
(foto 1) y procesar. Añadir el huevo y el agua.
Volver a procesar *(foto 2)* y retirar *(foto 3)*.
Formar un bollo *(foto 4)*. Envolverlo en papel
plástico transparente y refrigerar durante un
mínimo de 30 minutos.

MASA AZUCARADA O SUCRÉE

Colocar la harina, el azúcar y la mantequilla
en la procesadora*. Proceder de igual modo
que en la preparación de la masa quebrada,
pero agregando sólo el agua.

En ambos casos, precalentar el horno
a temperatura moderada (180ºC) para dar una
primera cocción a la masa. Taparla con una hoja
de papel de aluminio y colocarle un puñado de
legumbres secas encima para que no se hinche.
Llevar al horno durante 5-7 minutos. Retirar,
rellenar y continuar la cocción, hasta completar
un total de 10-12 minutos.

** Si se hace manualmente, trabajar en un recipiente
hondo y, con la ayuda de un tenedor, mezclar
la harina con la mantequilla hasta lograr el arenado.*

Pía Fendrik

Inició su carrera profesional en el Instituto Argentino de Gastronomía. Luego se perfeccionó en la escuela de cocina del famoso chef Gato Dumas, en la Escuela de Sommeliers y en Pastelería Maestra. Ha trabajado para prestigiosas revistas femeninas y de estilo; entre ellas, *Para Ti*, *Sophia* y *Cuisine & Vins*; y para la editorial Atlántida, en el sector de decoración. También desarrolló catálogos y recetas para grandes marcas de empresas de alimentos, como *La Salamandra*, *Luchetti*, *Philadelphia*, etc. Además de escribir libros de cocina, dicta cursos de gastronomía especializada.

Ángela Copello

Es fotógrafa profesional desde 1990. Comenzó sus estudios en la Escuela Argentina de Fotografía y luego se perfeccionó con fotógrafos consagrados, como Aldo Bressi, Virginia del Giudice y Edgardo Fillol. Ha publicado varios libros, y sus fotografías han sido divulgadas en importantes revistas, como *Para Ti Decoración*, *Sophia*, *Jardín*, *Garden Illustrated*.

Picadas, appetizers y tapas

Son un plato completo

Bocados dulces con las manos

Masas de base

Dirección gastronómica y de arte: Trini Vergara
Producción: Pía Fendrik
Diseño: Schavelzon|Ludueña. Estudio de diseño
Revisión de textos: Lucía Gonçalves da Cruz

© 2009 V&R Editoras S.A.
www.libroregalo.com

Argentina: Demaría 4412 (C1425AEB), Buenos Aires
Tel./Fax: (54-11) 4778-9444 y rotativas
e-mail: editoras@libroregalo.com

México: Av. Tamaulipas 145, Colonia Hipódromo Condesa,
Delegación Cuauhtémoc, México D. F. (C.P. 06170)
Tel./Fax: (5255) 5220-6620/6621 • 01800-543-4995
e-mail: editoras@vergarariba.com.mx

ISBN 978-987-612-159-0

Impreso en China
Printed in China

Fendrik, Pía
Para comer con las manos. - 1ª ed. -
Ciudad Autónoma de Buenos Aires: V&R, 2008.
64 p.: il.; 19 x 19 cm.

ISBN 978-987-612-159-0

1. Libros de Cocina. I. Título
CDD 641.4

CONSULTAS Y COMENTARIOS

ricoyfacil@vergarariba.com.ar